Rey
y
Rey

Linda de Haan y Stern Nijland se conocieron en una escuela de arte y crearon su propio estudio en los vestuarios de una antigua piscina pública, *The Papermill*. (No, ellas no llevan ni aletas ni gafas de buceo y sí, lo que ves es una silla de vigilante de piscina.) Además de ser artistas de mucho talento, Linda y Stern son expertas haciendo castillos de arena. Este es su primer libro ilustrado.

Título original: *Koning & Koning*
Texto e ilustraciones © 2000 Linda de Haan y Stern Nijland
Diseño del texto: Debbie Saul, Haarlem
Editado por acuerdo con Uitgeverij J. H. Gottmer y H. J. W. Becht

Primera edición en lengua castellana para todo el mundo:
© 2004 Ediciones Serres, S. L.
Muntaner, 391 – 08021 – Barcelona

www.edicioneserres.com

Fotocomposición: Editor Service, S. L.

ISBN: 84-8488-147-4

Impreso en Sagrafic, Barcelona

D.L.: B-29.767-2004

Rey y Rey

Linda y Stern
de Haan   Nijland

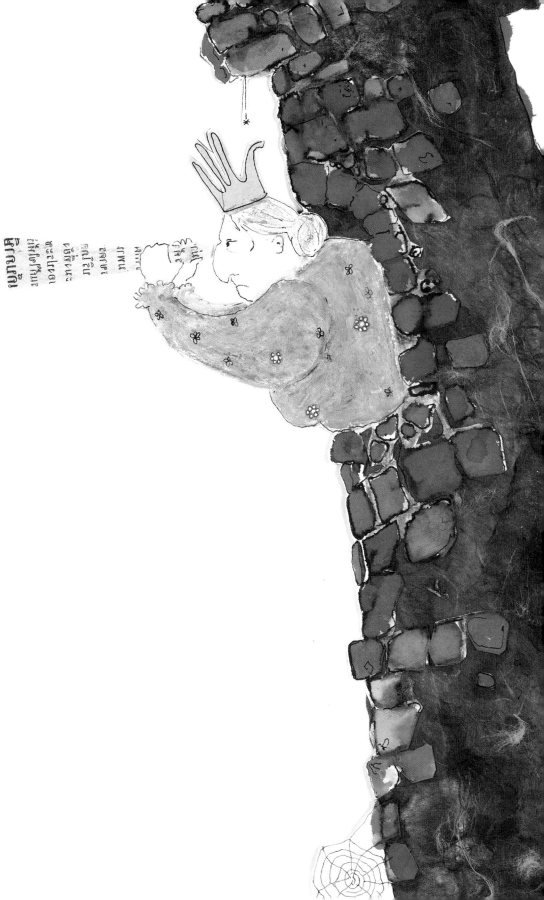

ediciones
SerreS

Érase una vez una anciana reina,
un joven príncipe heredero y una gata
con corona que vivían en lo alto
de una montaña.

La anciana dama llevaba ya muchos años reinando
y estaba harta y muy cansada.

Un día decidió que antes del verano el príncipe debería casarse y ocupar el trono. –¡Despierta! –le gritó la reina–. Tú y yo tenemos que hablar.

¡No puedo más!

Esto es de tu gran...

El príncipe apartó su desayuno.
Se le quitaron las ganas de comer
porque la reina hablaba... y hablaba...
y hablaba sin parar.

—No sé qué te pasa.
¡Todos los príncipes se han casado
menos tú! A tu edad yo ya me había
casado DOS veces.

La reina siguió hablando
hasta la noche y el príncipe,
completamente mareado, por fin cedió.
— Está bien, madre,
me casaré. Pero
no conozco a
ninguna princesa
que me guste.

Aquella noche la reina buscó
su listín de princesas y no hubo
castillo, ni **alcázar**,
ni **palacio** al que
no llamara.

A la mañana
siguiente,
se presentó
la primera
princesa.

La princesa Aria de Austria interpretó una estridente ópera en honor del príncipe. Pero antes de que acabara ya la habían echado.

La princesa Dolly llegó desde Texas haciendo malabarismos y magia
(la única que se divirtió fue la gata)

pero la reina y el príncipe se aburrían.

La siguiente fue una sonriente princesa que llegó de Groenlandia.

Pero no impresionó a nadie...

salvo al paje del príncipe que se enamoró perdidamente de ella.

saludar a todo el pueblo —dijo el príncipe.

¡Vaya! Con esos brazos tan largos seguro que puede

Pero la princesa
Rahjmashputtin, de Bombay,
empleó sus largas piernas para
salir corriendo de palacio.

La reina y el príncipe se miraron con tristeza.

Ninguna de las princesas les había gustado.

¡Un momento!
-exclamó el paje-
Todavía queda una princesa.
¡Tachín tachín!
Les presento a la
princesa Magdalena
y a su hermano,
el príncipe
Azul.

De pronto, el príncipe se quedó sin respiración y su corazón empezó a latir.

–¡Qué príncipe
tan guapo!

Fue una boda
muy especial.
La reina lloraba
sin parar.

Desde entonces, los
príncipes viven juntos,
como rey y rey,
y la reina por fin
puede descansar.

Y vivieron felices y comieron perdices.